のだめカンタービレ
Nodame Cantabile

アンコール オペラ編

#25

二ノ宮 知子
TOMOKO NINOMIYA

Contents

●この物語はフィクションです。実在する施設・団体・個人・商品などとは、いっさい関係ありません。

のだめラプソディの演奏者たち♡

千秋真一（ちあき しんいち）

シュトレーゼマンの事務所に所属し、パリを拠点に活躍する指揮者。ヴィエラを師として仰ぎオペラを勉強していたところに、念願だったオペラ指揮者として日本に呼ばれた。

野田恵（のだ めぐみ）

音楽を聴けば、一度でその通りピアノ演奏できる天才。桃ヶ丘音大を4年で中退し、パリに留学。シュトレーゼマンとの共演で世界デビューを果たす。スランプを脱し一時帰国中。

菅沼沙也（すがぬまさや）

桃ヶ丘音大卒のソプラノ歌手。市民オペラ・白い薔薇歌劇団の主宰にして主役だが、巨体ゆえに猛ダイエットに励んでいる。

峰龍太郎（みね りゅうたろう）

自己陶酔系ヴァイオリニスト。音大卒業後は実家・裏軒を手伝いながらR☆S《ライジング・スター》オケ活動に励み、市民オペラで演出に初挑戦!!

ターニャ（タチヤーナ・ヴィシニョーワ）

パリにピアノ留学中のロシア人。外見は異様に派手だが本当は純情娘。世話好きで料理が得意。ただいま黒木と恋愛中♡

黒木泰則（くろきやすのり）

のだめと同じコンセルヴァトワールに留学したオーボエ奏者。R☆Sオケの一員として市民オペラに参加している。

吉倉杏奈（よしくら あんな）

菅沼率いる白い薔薇歌劇団で、夜の女王役に抜擢された歌手。千秋とは幼い頃に社交ダンスを踊った仲。

奥山真澄（おくやま ますみ）

プロオケに所属しながらR☆Sオケでも活動するティンパニスト。男だが心は乙女で、学生時代から千秋ラブ。

片平 元（かたひら はじめ）

コンクールで千秋と本選を争った指揮者。音楽家の奥さんとともに、千秋の代理として市民オペラの音楽指導を行う。

三木清良（みききよら）

千秋とともにR☆Sオケを立ち上げ、コンミスを務めたヴァイオリニスト。留学を終えて日本に帰国した。峰の恋人。

AKT:6

♪この道を行けば
あなたの目指している
場所へ行けるでしょう
王子よ
あなたは男らしく
勝たねば
なりません
だから
私《わたし》たちの教えを
きいて
ください
毅然として
忍耐強く
そして
沈黙を守りなさい

童子よ
教えてください
私は
パミーナを
救えるでしょうか
それは
答えることができません
ねえ
杏奈《あんな》
今日
お休みだし
みんなで
お買い物に
銀座にでも
行ってみましょうよ！
え……
せっかく
杏奈が
久し振りに
日本に
来たのに
まだ
みんなで
どこにも
行ってないし

ね！行きましょうよ
みんなでパア〜っと
美味《おい》しいお寿司とか♡
ごめん……里枝《さとえ》おばさん
今日はちょっと
コンサートに行く予定があって
コンサート!?
えっ
前からとってあったピアノのコンサートなの
だから今日はちょっと……
ごめんなさいっごちそうさま
あっ
もうごちそうさま!?
またっ
もっとしっかり食べないと
ちゃんと歌えなくなっちゃうわよ!!
………市民オペラにピアノのコンサートか……

兄さん夫婦から「音楽《ウイーン》から離れて少し日本で気分転換させてやってくれ」って言われて杏奈を預かったのに……
ちっとも音楽から離れないじゃないか
でもついこの間までオペラをやるって楽しそうにしてたのに……
なんで暗く……
元に戻っちゃったのかしら

NODAME　ピアノリサイタ
「疾走するキラメキ ONEWAY LOVE」
20○○年 ○○月 ○○日
○○○○ホール 大ホール
18:00開場 19:00開演
1階 R
のだめ
日本初リサイタル
「疾走《しっそう》するキラメキ
ONEWAY《ワンウェイ》 LOVE《ラブ》」
なんだ
このタイトル……
あー それ
日本での輝かしい思い出のようなきらめくリサイタルにしたいって
のだめが言うから
とりあえず
タイトル
だろって
おまえか!!
余計な入れ知恵をっ
いきなり
バカ
丸出しね…
疾走する
バカ…

でもすごいわねのだめ……
もうこんな立派な場所でソロ・リサイタルをやるなんて
うん……こんなに早く故郷に錦が飾れるなんてうらやましいよ
ばいー
こりゃよか会場やっか

ここで恵《めぐみ》の結納か
ちょっ
じいちゃんそれはコンサートのあとたい!!
ひっ
「結納」はおまえの希望やろうもん!?
妄想とごっちゃになっとるぞ
ばってん恵が電話で
ぞろ
あーだけんじいちゃん紋付き袴ば着とっと
あーそいけんか
ぞろ
なん?私たち何か間違えとるると!?
これ恵ちゃんのコンサートやろ!?
一部の人が間違えとらす
すごかー
△ おじさん夫婦といとこ
あれのだめの親族でしょ!?
ぶっ
どげんしたらいいとコンサートっちこれで座るっと?
なんでまーちゃん振りそでなん
絶対そうでしょ!!
これは期待以上だな!!
あとが楽しみね
…
結納って…

モーツァルト
ピアノ・ソナタ
第13番
変ロ長調
欧州へ行ってから
磨きをかけた
モーツァルト

オーケストラのような
多彩な音が
また一段と鮮やかになってる
3曲目
ドビュッシー「前奏曲集」第1集より
〈音と香りは夕暮れの大気に漂う〉

おお……！
この音は まさに
パリの夕暮れに漂う
少しアンニュイな
大気の香り《フレグランス》
しかも
コンフィチュールの
ほのかな甘さと
ル・ヴァンカーの
野性味ある香りが
輪舞する
ブローニュの森
そして
夏……
〈亜麻色の髪の乙女〉
〝ひばりと共に
愛を歌う〟
〝桜桃の実の
くちびるをした
美少女〟

ショパン：ピアノ・ソナタ 第3番 ロ短調 op.58

ショパンの後期のソナタ………

ふたりで一緒に旅をした
おいおい
おまえ今ひとりで どこまで行ってるんだよ ——

アァッ
ヴァッ
ブラボー!!

ワー
パチ
パチ
パチ
パチ
パチ
パチ
パチ
パチ
アンコール!
パチ
パチ
パチ
パチ
パチ
パチ
パチ
アンコール
ショパン
エチュード
「黒鍵」

ワアア
ブラボー
すげー
のだめー
NODAMEー
じゃ
もう一曲アンコールを
あれ…
なんだっけ
ムキャ〜
じゃコレ!!
ジョプリン〈メープル・リーフ・ラグ〉
おお〜っ
ジャズ!?
ワー
パチパチ
パチパチ
アンコール
再びアンコール
サティ〈ピカデリー〉

ドビュッシー〈ゴリウォーグのケークウォーク〉
ついでにこれも♫
ガーシュイン〈3つのプレリュード〉
ラプソディ イン・ブルー
って…
まだやるの…?
つーか勝手にアンコール…
すぐ暴走…
なつかしい曲だ〜
変態がバレてく…
パチ
パチ
パチ
パチ
パチ
パチ
ワー
のだめー
来るんじゃなかった

ここにも
日本にも
杏奈!?
やっぱり〜〜〜!!
キャー
ちょっと
イヤン
待って

なによー あんたー!!
来るんだったら一言いってくれればいいのに！
ていうかなんでここに……
あんたまさかのだめのファン!?
うん……
だってウィーン《むこう》でもすごく話題で……
同じ日本人としてすごく勇気づけられたし……
そしたらちょうど日本で公演があるって聞いてチケット取ってたの
これは是非生《なま》で聴いてなにかあやかりたい！って思って……
まさかその前に本人と知り合うとは思わなかったけど……

しかもそれが真一《しんいち》くんの彼女だったっていうのも……
ビックリよねー
アハハ
のだめになにをあやかろうっていうのよ!!
変態!?
バッカじゃないの!?
だいたいあんただってウィーンでデビューした期待の新人歌手でしょ!?
なに思いつめてんのよ!
しっかりしなさいよ
いや わたしなんて……
真澄《ますみ》ちゃーん!

打ち上げ行こーぜー！
あ
結納だっけ
おいっ
あーーっ
もじゃみちゃんだ〜〜〜!!
本当にいた！
だれがもじゃみよ!!
キー
だれその子供っ
杏奈も行くわよっ
え!?
打ち上げよっ
その頃のだめ
アンコールの長さでホールから苦情が…
ぎゃぼっ

AKT:7

我らが
そして
世界の
NODAME《ノダメ》さんの
日本凱旋コンサートの
成功を祝って～
カンパーイ!!
ワー
かんぱーい
祝☆ NODAME 日本デビュー
ありがとう
ございマス～♡
ホホホ
三善《みよし》商事の
社長さん
だって!!

すごか〜‼
本物⁉
ニュース！この間ニュースで見たとよ！
キャー
ホー
よっぽど世界の人やん‼
赤字決算⁉粉飾決算やったかね⁉
サインばもらわやん！
会社ちがい→
私は千秋《ちあき》さんと写真撮りたか！
おいもおいも！
ハハハ
おねがいします〜♡
ホントいい男ね〜
恵ちゃん一番よか仕事したね！
おったちゃぁ親戚《じき》になっとやなかか⁉
世界で活躍しよる指揮者さんなんやろ⁉
うちの真世《まよ》と結婚してくれりゃよかとに
一生海苔《のり》には困らんばい♡
ちょっ…
みんな
恵にもちゃんと仕事あるとよ〜
誰のお祝いち思っとっと…⁉
ムキー

どーん
サインば がーば
頼まれとるけん
よろしくね！
なんで今
こげんかこと
——!?
明日《あした》 大川《おおかわ》
帰ったら
漁協でも
祝賀会ば
してくれら
すげなし
みんなに
配らんと
おーっ
恵ちゃん！
おれにも
サイン!!
まーわたしもっ
この携帯に
サインばして
くれ！
ギャハハ
のだめの
親族スゲー
見事に
血族…
なにげに
千秋くんの
親族も
すごいね！

今日こそ
でも私も千秋様と写真撮ろ!!
私ものだめにサインもらっておこうかな
ワァ
ワァ
のだめー
千秋さまー
のだめさん
すごいなぁ本当に……のだめさん
真一くんも
だから～～
また っ
あんただってウィーンでデビューしたプロなんでしょ!?
同じ新人!
だから私なんて……
デビューしただけ
売れない新人歌手……
そっ。。

劇場付きの研修所にいる時にデビューして
いくつかの役もやらせてもらってたけど
専属契約まで至らず
研修所を出たら結局なんの仕事もなく――
仕方ないから他の国でもいくつかオーディションを受けたけどだめで……
どんどん気持ちも落ちてきて……
©ケイケイさん
心配した両親が
「気分転換に日本にいるおじさん夫婦の家に遊びに行ってこい！」って
そして日本に来てすぐ……
天丼

白い薔薇歌劇団
モーツァルト：オペラ「魔笛」オーディション
指揮：千秋真一（ルーマルレオーケストラ
真一くんが指揮!?
キャストオーディション…
思わずすぐに受けに行っちゃった
贔屓《ひいき》なしで！
一緒に音楽が……
オペラがやれたらまた心が躍るような気持ちになれるかもしれない!!
でもわくわくしたのは最初だけで
菅沼《すがぬま》さんには当てられっぱなしだわ

真一くんも特に話しかけてくれるわけでもなく
そりゃ役柄上あんたの出番があんまりないだけで!!
のだめさんのコンサートもそう……
聴いたらなにかパワーもらえるかもって思って行ってみたのに
本当にすごいパワーで
すげー
のだめ
まぶしすぎるというか……
また当てられちゃったわけ!?
あれに
ムキャー
高速サイン中
もおっとりあえずネガティブになるのやめなさいよ!
あんたの歌十分パワーあるんだから!!

私が言うんだから本当よ！
ったく
ありがとう真澄ちゃん
褒《ほ》められる言葉だけが届かない
わたしは今こんな殻の中にいて
誰かに破ってほしいのに
なにかきっかけがあれば出られる気がするのに——
あれっ
千秋先輩

今夜も勉強ですか!?
のだめコンサートの余韻は!?
もう終る!?
余韻って……
明日はオペラの稽古に顔出したらすぐドイツに飛ばなきゃいけないいし
やることいっぱいで休んでるヒマなんかねーよ
オレはおまえと違って大安売り中らしいからな
あー……
あんたは公演数少なめで希少価値を高めたほうがいいタイプね!!
そして単価を吊り上げる!!

おまえ今度フィラデルフィアでやるんだろ?
悪かったな
一緒に共演したいって言ってたのに
お先に失礼しマス
ゴメンなさい!
おまえってそーゆー奴だよな!!
ったく
オレは本当にがつがつやらないと
世界ののだめさんになかなか追いつけないからな
今日ぐらいはがつがつしなくても~~~
明日いなくなっちゃうし
………

先輩 来季はアメリカツアーもあるし
ますます忙しくなって
なかなか会えなくなるんですね………
せめて 必ずのだめの元に帰ってくるという約束というか……
プロポー…
ハッ…
沈黙は金なり!!
じゃ…
じゃあ先輩邪魔してごめんなサイ
えっ!?
おやすみなさい

明日
気をつけて……
のだめ
日本で
待ってます
から
待てよ!!
先輩
……!?
今日の
演奏……
よかった

ドビュッシーとか……
桜桃の実のくちびるをした……
エリーゼの言うとおり
たとえオペラの勉強が滞ってしまっても
今はオケのほうで多くの経験をつんでキャリアアップを目指すべきなのかもしれない

だからこそ
このオペラだけは
ザラストロの神殿にさらわれたパミーナ王女を捜しに来たタミーノ王子
愛と徳を求めております
見知らぬ若者よ この神殿に なにを求めて来た?
しかし ザラストロに仕える弁者《べんじゃ》に阻《はば》まれる
あなたの求める愛も徳も 復讐に燃えるあなたを ここに導いてはいない

悪者に復讐するだけです
ここに悪者はいない
ここはザラストロの治める神殿でしょう!?
話がかみ合わないふたり
彼《ザラストロ》は暴君だ!
娘を助けて〜
夜の女王
彼のせいで打ちひしがれている不幸な女性がいるのがその証拠だ!
ではその女があなたをだましたのだな
女というのは口だけで行動が伴わないのだ
やだすごい偏見
女性差別
偏見じゃねーだろ!!
おまえだけは
ダイエットはどうした

今日のおやつはこれ一枚よ!? たった一枚!!
さらわれたパミーナはどこにいるのですか!?
今は沈黙するのが私の務めです
ではいつ わかるのです!?
友情があなたを聖域へ導き
永遠のきずなが結ばれる時です――
そっちの裾《すそ》どう? 杏奈
うん 大丈夫
ピッタリ
衣装合わせ
どうですか? 弁者さん 苦しくないですか?
ったく
なんでプロの俺《おれ》がこんな所で歌わなきゃいけないんだよ

フン…
たまたま この劇団の スポンサーの社長が 俺の恩人の親友 だっただけで！
めんどくせー
しかも ザラストロなら やってもいいって 思ったのに 弁者かよ！
チッ
なんで
しかも 誰だよ！ この ザラストロ
アマチュアの そのへんの 歌好きの おっさんだろ？
魔笛
白い薔薇歌劇団
ふざけんなよッ
悪かったな
そのへんの おっさんで
ザラストロ
山下《やました》純《じゅん》ノ《の》介《すけ》
すると 私の親友が
あなたの 恩人だった わけだな

弁者を引き受けてくれてありがとう
プロなのに
いえ！そんなっ……
ワー
すみません！ホント……
とんだ勘違いで……あのっ
社長
ホホホ
ザマー☆
はずかし～！
や～ね～プライド高いのって
いくらプロだからってー
でも……
プロなんだからプライド高くて当たり前じゃない？

それに
あのザラストロの人……
オーディションで入ったんじゃないんでしょ!?
スポンサーだから……
いいプライドと悪いプライドってあるでしょ!
こんな所でなんで私が!ってさー
こっちのセリフよお
なんでティンパニー奏者がこんな所で衣裳縫ってんのよ!
こんなんで殻なんか破れるわけない
あーーあ

オレだって タミーノ王子 だったはず なのにさー
なんでまた モノスタトス ……
スケベな 奴隷頭《どれいがしら》 ってさー
アマチュアに くれば 王子も できるかと 思ったのによー
スリラーメイク うまいだろー
じゃあ やらなきゃ よかったじゃん
モノスタトス なんか
なんで 引き受けた んだよ
やるよー
だって 得意だもん モノスタトス

こうなったら
日本一の
モノスタトスに
なろうかな
がっ
ギャハハ
なに
それー
フツー
狙うか!?
そこを
聞いた
ことねー
笑うなよ
人の夢をー

さあ
急げ!
そうれ
捕まえたぞ!!
このモノスタトスを
だまそうとは
いい度胸だ!
ヒー
まじ
キモイー
逃げようとしたところ
またしても
モノスタトスに
捕らえられる
パミーナと
パパゲーノ
第17場
下手な鉄砲も
数うちゃ
当たる!
頼むぞ!
グロッケン
シュピール

♫なんて
素敵な鈴の音だ
はじめて知る
この心地よさ♫
ラ ララ ラララ ラララララン♫
うおー
ダンス
うまー
スリラー
よっ
日本一！
さすが
プロ！
立派な人が
この鈴を持てば
敵はたちまち
逃げるでしょう
敵も味方も
なくなれば
みんな仲良く
暮らせるでしょう

久し振りに音楽が
歌が聞こえてくる気がする
合唱の「ザラストロ様万歳！」のあと
ザラストロ入ってくる！
ザラストロ様
私は罪を犯しました
あなたのお力から逃げようと……
でもそれはあの悪い奴隷頭から逃れようとしたためです

立ちなさい
元気を出して
たずねるまでもなく
おまえの心は私はよくわかっている
ザラストロの威厳と正義と哀《あい》を表す深い声……
※ザラストロ役は今回初合流

さりとて
お前を
自由にはしない
お前を
お前の母の元へ帰せば
お前は幸せには
なれぬだろう
さすが
社長さん
風格が
ちがう…
つか本当に
アマチュア？
表現力が
……
昔
家業を
継ぐために
プロを断念した
らしいよ
へ～
でも
ちゃんと歌を
続けてたのね～
「悪いプライド」
か……

デビューまでとんとん拍子だったから
自信持ってたのはいいけど
力以上に思い上がっていたのかな
おいっ
おまえは大丈夫なのか？
えっ!?
いや仕事……
ウィーンの劇場放り出されたんだって？
真澄から
ったく
どうりで凹《へこ》んでたわけだ……

見てた!?
どうすんの? これから
……わからない
けど
わたし ここで ちゃんと この人たちと 歌いたい……
今は それだけでも いいのかなって ……
オレも……
今は このオペラを 精一杯やるしか ないから——

お前たち
女の心を導くのは
男たるものの務め
男なくしては
いかなる女も
道を
踏みはずして
しまうものだ
それはどうかと思う
ね～
私なんて男で道をはずしたわぁ
ホント
女ってなにで
立ち直るんだろ
アイイ
いつもいつも
♪
魔法の
鈴かも？
今回は…

AKT: 8

とうとう今日から※オケ練が始まった
※歌なしでオーケストラだけが行う練習（カラオケとも言う）

そして
ストップ
ストーップ!!
セカンド
ヴァイオリン
だけ
もう1回!
いきなり
つまずく

「魔笛」の序曲
始まってすぐに訪れる難所
まだ合わない！
セカンドだけもう一度!!
はじまった～……
今日何時に帰れるかな～……
やっぱり千秋くんは若くてツヤツヤしてるな……
比べんな
松田比

ハア 千秋くん
なによ バカ
プロとしてのキャリアは上でも
もう今は絶対負けてないと思うのに
ただのジャンケンでコンマスが高橋《たかはし》って!
やっぱり納得できない!!
やっと R☆S《ライジング・スター》オケに千秋くんも帰ってきて
もう一度!
合ってない!
一緒にまたできるのに
もう一回!!
ヒィ〜
序曲終了
休憩…

序曲だけで
これかよ～
千秋くん
あいかわらず
キビチーよ…
つーか
「魔笛」って
3時間近く
あるんだろ!?
ゲ～
マジかよ～
オレ 今
仕事めっちゃ
忙しいのに
すげー
疲れそうだ～
わたしも
やっと就職
できたばっか
なのにィ～
誰だよ
オペラ
やるなんて
言い出したの―
しかも
白薔薇って
なに!?
ここでもか
初期の
マルレを
思い出す
〈魔笛〉
第1場

〈青緑百句〉

そこはがつがつ弾かない!
簡単に弾くな!
ここはさっきまでの勇ましい音楽じゃなくて
侍女が助けた王子を見て「いい男」だって色めきたってるところだから
あーそーゆーこと!
そこはまたちょっと感情が変わるところだから

侍女たちが夜の女王に…
ストップ！
ちがう
そんな重々しい気持ちじゃなくて……
もしかして高橋
「魔笛」のストーリー全然知らないの？
ドキイッ
あーそうなんだ!?
知らないんだ!?
コンマスなのに

しかも超有名なオペラなのに
見たことくらいあるよ!!
しかもパリのバスティーユで!!
でも留学したてで訳は読めないわ
♫Console-toi
現代的な演出でなんのことやらって感じで……
さっぱり!! わけわからず
勉強不足!!
開き直るな——!!
キャプテン清良☆
というわけで……
この公演《オペラ》はわたしがコンマスってことで!

じゃ
今のとこもう一度
ゲー
クーデタ
政権交代!?
コンマスが代わるって…

あーあ
こんな時間になるならのだめと一緒に原宿《ハラジュク》にでも行けばよかった～
のだめ原宿はよく知りませんヨ？
え～
もおっ
ヤスもヤスの家族もスガモとかアサクサだし……
じゃあこれからどっか飲みに行きましょーよ！
裏軒《ウラケン》以外で!!
おしゃれなトコ！
じゃあ先輩たち出て来たら
千秋！
ちょっといいか？
おっ
あっちから…

まだ オケ練 入ったばっか なんだから
千秋
オペラの ストーリーの ことまで細かく 言わなくても いいんじゃねーか？
は？
まず はじめは 演奏を 整えるだけで 精一杯なんだし
わかるだろ？ それくらい
時間が 少ないから 焦るのは わかるけど
みんなまで 焦らせんな よな
じゃあな！
また次 よろしくー

たしかに……
最初から細かいこと言ったって……
ってオレなんでそんなことも忘れて⁉
焦ってる⁉
ヒイイ
千秋先輩が峰《みね》くんに叱られた‼
それそんな大事件？
ゴオオ
そしてまた仕事で欧州……
ラズベリー収穫祭……
オケ練半分とOP《※オーケストラプローベ》
まかせてー
KHP《※クラヴィーアハウプトプローベ》は片平《かたひら》さんに丸投げ

※OP(オーケストラプローベ)＝オーケストラと歌手が合わせる音楽稽古。
※KHP(クラヴィーアハウプトプローベ)＝ピアノ伴奏による通し稽古。進行に従って演出を完成させてい

オペラは準備も長いからすべてを自分でできるわけないのはわかってるけど
大事な音楽稽古の部分でこんなに参加できないなんて……
やっぱものすごく焦る――
うおお〜〜〜
※これがオケピか!!
※オケピ＝オーケストラピットの略。舞台と客席の間に設けられたオーケストラ用の演奏場所で、客席より低い位置にある。

閉所恐怖症
うおお
R☆Sオケ初オケピ！
せまーい
暗い!!
せまい暗い…
大丈夫？真澄ちゃん
大丈夫よ……
天井は高いし
それにこれからはもう
千秋様と一緒だし
おはよー
おー
おかえりー！
おはようございます～♡
大丈夫？千秋くん
大丈夫……
さすがに疲れた
また飛行機で空港から直入り…
けど

※HP(ハウプトプローベ)=オーケストラ伴奏による通し舞台稽古。
よろしくおねがいしまーす
今日からHP《ハウプトプローベ》だ！
おはー
なんで……
また代わった!?

ボクがちょっと本気を出せばね……
〝ストップ！はしょって吹かないで！〟
ひとつの音符にどれだけ歌詞がのってるかわかってる!?
フレーズとフレーズの間をとって！
弦も音の響きだけで合わせようとしないで！
えと……
Nein,nein, geht ihr nur hin. Ich wache hier für ihn.♫
こーゆードイツ語のリズムとか子音をふむとかね
おー

これくらいドイツ語の歌詞《テキスト》がわかっていればわかるよね
ドキッ
あっもしかして歌詞わかってない!?
うそォ
コンマスなのに!?
ワ～
それって勉強不足ですか!?
というわけで必然的に
本番まで時間あるんだから!!
まだわかんないわよ!!
ザワ。。
まだやる気かよー
コンマス戦国時代だ～
つーかコンマスってそんなに交代していいの?
つーかなんでそこまでしてコンマスに…

え……
♫たすけてくれ〜
食われてしまう〜
音が……
遅れて聞こえる

舞台ってこんなに遠かったっけ?
いつもヴィエラ先生のすぐ傍《そば》で聴いていたのに
自分が指揮台に乗るだけでこんなに違うのか⁉
まるで
歌手との糸が切れてしまったような
思ったよりエネルギーが必要なのか⁉

千秋
ちょっと力みすぎじゃねーか？
そんなに力入れなくても大丈夫だって
ん
さし入れ
温泉まんじゅう
うしろで聴いてるだけでわかったようなこと言うな!!
あ
……ごめ
千秋のバカアアア
わあああ
久々に死ねと思ったー
峰!!

あの……
千秋さま
わたくしも他女子も
千秋さまの白いシャツは大好物ですけれど……
えっ
オケピの指揮台のうしろの壁は白いので
次からは色付きの服でお願いします!!
え…
千秋さまがかすんで指揮が見えづらいんです!!
失礼なこと言ってすみません!!
キャー
言っちゃった〜
カァァ

ありがとう！真澄ちゃん
女子代表!!
つらかったでしょう
ごめんね こんな仕事させて
片平さんは余裕そうだったのに……
あの人はオペラ経験あるんでしょ？
まぁ生あたたかく見守ってやろうぜ
だよな～
ヴィエラ先生の下で
現場でちゃんと経験を積んできたつもりだったのに
どーせオレは余裕も経験もねーよ!!

ビー
ゴトッ
千秋先輩〜〜〜〜!!
お昼ごはんの差し入れ
持ってきましたよ〜〜〜〜!
「魔笛」にあんなキャラいたっけ？
森の精霊か!?
なんだ今の？

なんだそのカッコは!!
ターニャが日本のお祭りに行ってみたいって言うから……
でもこの時期コミックフェスタしかなくて
指揮者室
千秋真
またそれか!?
おまえコスプレだけはしないって……
あれほど豪語しておいて……
だって俊彦《としひこ》くんがこれ着て行けば3千円くれるって言うから!!
3千円か!!
何歳《いくつ》だおまえは!!
水着の時は無反応だったくせに……
ボソ
好きなんだから
好きじゃねー!!
まーまー先輩……
4巻▷

これでも食べて午後もがんばってくだサイ♡
またこれか
それじゃあ先輩
のだめこっそり出て行きマスから
ご心配なくー
なぜか弱っている時に出てくる……
先ぱい、食べてネ→♡
愛妻弁当
ガコ終ったら
コンサト行きます！
みんなもさそい
がんばって
4年間ずっとこれだったな
はー‥
脱力‥

そうだ
最初から
うまくいったことなんか
ひとつもなかった

R☆Sオケの
変なエネルギーが
オレを
引っ張る

千秋
菊地《きくち》
黒木《くろき》くん
主要メンバーが帰ってきて
だらけていたオケにたらされた真っ赤なラー油!!
（清良《きよら》）
オレのオフェンス計画!!
オペラでライジング!!
どうだこれ!!
うるさい
あとは千秋だ!!

どこへ行く
俊彦・・・

佐久間学の夢色☆クラシック
夢色☆クラシック
天才と呼ばれ
「大好物は千秋先輩」
NODAME
アニメからの刺激も大事
のだめインタビュー
バカがバレた!!
日本語よめないけど絶対バカなこと言ってる!!
こんな仕事《インタビュー》受けたのだれ!?!
シュトレーゼマン
オリバー

AKT:9

パミーナだ!
タミーノなの!?
信じられない!
ああ!
これで今
死んでもいい!
コラッ
やめろ!!
図々しいっ
ザラストロの城で
捕らえられた
タミーノ王子と
パミーナ王女は
初めて会う

がっぷりよっ…
あれで初対面…
そして
このふたりを試練の神殿へ案内するのだ!
頭巾をかぶせよ!
タミーノとパパゲーノは叡智《えいち》の心を手に入れるため試練を受けることになる
第一幕終了——

タミーノ！
前にも言ったけど
パミーナと抱き合うシーン もっと 愛おしそうに 身体《からだ》に大きく 手を回して
腰が引けてて
あれじゃ ぶつかり稽古 というか 寄《よ》り切《き》られそうと いうか
なんで 相撲用語 !?
大きすぎて 手なんか 回るかよ!!
失礼ね!! これでも 8キロは やせたのよ!!
おおー
すげー
パチ パチ パチパチ
パチ パチ パチパチ
えらいー
あんた もっとちゃんと 私を愛しなさい よ!!
愛せるか!! 8キロ ぐらいで
でも 本当に やせたよな
うん うん
思ったより かわいいし 問題ないんじゃ ない!?
問題って なによ!!
聞こえた わよ!!

オレの作成した食事メニューのおかげだな
?..
とか言いつつ
実際 菅沼は主宰者としても主役としてもよくやってると思う
千秋くんもやせたよね
おしりもキュッと小さく…
見るな来るな!!
問題を抱えているのはむしろこっちだけど
難しいシーンもなんとかここまでは
………
〈第二幕〉第3場
王子よ
本当に あらゆる
試練を受ける
覚悟があるのだな?

はい!
叡智の教えを会得することが私の目的
パミーナと結ばれることはそのご褒美《ほうび》です!
俺は別に……
なんでオレまで試練…!
戦うなんて好きじゃないし
では ザラストロ様が肌や髪や目の色も着物もおまえとそっくりな娘を用意してくださるとしたらどうする?
えっ
俺と同じ……?
名前は?
パパゲーナ
パパゲーナ……

しかし
パパゲーノも
タミーノも
彼女たちに会っても
許しが出るまでは
一切口をきいては
ならぬぞ
恋人をご褒美に
「沈黙」の試練を
課せられるふたり
♪女の
悪だくみから
身を守れ
賢い男でも だまされ
道を誤った♪
ヒド…
プ
このオペラ
女に対して
ホントひどい…
タミーノ!
そして
早速
女たちが
惑わしに
やってくる
なに
やっているの!?
そんな
二重唱…

夜の女王を思い出して!
ここの神官はいんちきよ!
ここの仲間に入ったら地獄行きよ
死ぬわよ
ヒ
沈黙を守るふたり
キャアアア
ついに地獄の奈落へ落ちてゆく3人の侍女
そして

夜の女王のアリア
地獄の復讐にこの胸は燃える
死と絶望の炎がわが身をこがす
おまえがザラストロに
死の苦しみを与えないなら
もう親でもなければ
子でもない
夫が死ぬ時に
神に仕える
ザラストロに託《たく》した
強大な力をもつ
「太陽の環」を
取り戻すため
娘《パミーナ》にザラストロを
殺せと命じる
夜の女王

お前がザラストロの
息の根を止めないなら
親子の絆は
ことごとく砕かれる!

すげー
鳥肌たったー…
勝ったな……

このオペラはもう成功したも同然!!
ワーーーー
うるせーよ
負けられない!!
タミーノ!
もう 私を愛していないの?
なぜ 近づいてはいけないの!?
わけを教えて!
第18場
沈黙の試練続行中のタミーノに無視されるパミーナ

ああ 私にはわかっています
愛の幸せは永遠に消えて
しまったのです
パミーナのアリア
愛の喜びの日々は
二度とこの胸には
帰って来ないのです
あれ・・・

なにやってんのよ!!
千秋くん
ちゃんと合わせてよ!!
前よりテンポが遅くなってる!?
わかった
じゃあもう一度頭から
ちょっとやそっとじゃ
ゆずれない
「デブすぎて主役《ヒロイン》は無理」と言われ続け
世界の貴公子
白い薔薇歌劇団
モーツァルト
美しすぎる夜の女王
スポンサー集め
だったらって自分のための自分の歌劇団を苦労して作ったのに
あんな女に美味しいトコ持っていかれてたまるか!!
私の幸せは(レバニラギョーザ)
消えてしまったのです♫

なんか……このアリアって
世界一難しいんじゃないかって思うよ
指揮者的に…
高い音を静かに
静かに合わす……
ちがーう!!
遅くってキモイ!!
そっちが遅いから遅くしてんだろーが!!
なっ……
だからってついてこないでよ!!
気持ち悪いっ
男らしくやれっつーの!

意味わかんねーよ!!
最悪のヒロイン‥
キイィー
すげー
でも……
菅沼さんも歌かわってない？
うん……
というか……
みんな……!!
調子を上げまくりのパミーナに
つられるザラストロ
経験不足でシャイだったパパゲーノがひらき直って急激に成長を……
調子を下げていくタミーノ
アハハ
バカっていいかもー
次だー
そこ気をつけろー

千秋くん
音楽稽古にあまり来られなかったこと気に病むことないよ
え!?
菅沼さんだけじゃなくて
あの人たちここに来て好き勝手なことやり始めたから
OPの時とはぜんぜんもぉ…
僕《ぼく》が正指揮者だったらもっと混乱してるよ
どうりで…
ちょっと!花巻《はなまき》くん
あんたまたさらに声抑えてるでしょ
ギくーっ

いい加減 もう本番と 同じように やってくれないと 困るんだけど
やりたいよ!
やりたいけど のどの調子が 悪くって……
しかも いつも使ってる のどの薬が 切れてて
最悪だっ
はあ!?
そんなの さっさと 買いなさい よ!
品切れ だったんだよ!!
近所の ドンキにしか 置いてない 輸入ものなのに!!
若甦膏
もっ おしまいだ〜
そんな 大袈裟な
だったら 病院にでも行って もっといい薬 もらえばいいじゃない
わあっ
あれより いい薬なんか あるもんか!!
色々 ためしたんだ!!
ずっと 一緒だったのに
あれが なかったら オレなんか

本当に
どいつもこいつも――
はあ～♡
やっぱイスっていいわぁ～
ヤスのうちってぜーんぶ畳で～つかれたー
↑ターニャです（俊彦プロデュース）4000円
それにしても千秋のうちってステキね～♡
金持ち!!
のだめやっぱり早く結婚しちゃいなさいよ！
ターニャこそどうするんですか？
黒木君からプロポーズされてるんでしょ？

……
迷ってる
実は来年……室内楽のクラスが終わったら
フランスでの教師の資格が取れるクラスに入ろうと思ってたのよね
教師!?
そんなクラスあったんですか!?
できたのよー
どんどん新しくなってんの!
でも
ヤスと長く離れるのは……

ただいまー
ってもう
みんな自室
かな……
腹へった
………
……
リビングに
誰かいる!?
のだめか?
それなら
なおさら
結婚したほうが
いいですヨ!!
離れる
前にっ
え…

のだめなんかプロポーズもされてないんですヨ！
(自分でしたけど)
それで今されるためにどんだけ苦労してることか！
まったく煮えきらない男で
沈黙を守り
しおらしく
かいがいしく尽くす!!
可野けえ子直伝
もー大変なんですから！黙ってるって
「結婚してー！」って大声で言いたいデスよ!!
この調子でいけばあと一息！
でもまぁ本当に「沈黙は金なり」ですヨ！
もうのだめにメロメロで〜
黙って去ろうとしただけで2《ツー》待ったゲットですから
へえ〜
今晩あたりのだめの前にひざまずいてプロポーズをさせてみせマス!!

誰がするか――!!
この変態腹黒女――!!
ムキャ
〝女の悪だくみから身を守れ〟
じごく行
最悪だ!!
プライベートまで奈落の底か!!
〝賢い男でもだまされ道を誤った〟
それとこれとは別……
いや
オペラだけはどうにかしないと

これが
オレへの試練だと
いうなら
オレだって
「智恵」を
手に入れたい
ゲネプロ
これが本番前
最後の
リハーサル
今日で
なんとか決めて
みせないと——

あ……
大丈夫
ここはあせらず
げっ…

オレあそこ自信ないから出るとこキュー出してくれないかな!?
いいですよ
しまった——!!
オケに気をとられてキュー出すの忘れた！
歌がいっこずつずれていく
だ
止

地獄の復讐…？
まだ違うっっつーのか!?
「男らしく」というから主導してみれば……
その態度が気に入らないのよ！
心の二重唱
どうしろと!?
おい何が勝ったって？
パパゲーナ
パパゲーナ
俺の女房
俺の恋人
俺の小鳩

返事がない……
ああ
消えちゃった
試練だった
「沈黙」が
できなかった
パパゲーノ
不幸に生まれ
ついたとはいえ
しゃべった俺が
悪かった……
だめだ
だめだ
もう来て
くれない
もう生きるのに
疲れたよ……

おい
世界のNODAMEさん
お願いがあるんだけど
はい終了ー

菅沼は？
ちょっと話がしたいんだけど
帰ったわよー
エステに遅れるってあわてて
メイクそのまま
問題をそのまま残して明日の本番へ
こんなんで大丈夫なのか——!?

演出デビュー

千秋作
菅沼ダイエット
計画表
(超細かい..)
千秋くんてどんだけわたしの事好きなんだろう・・・・
残念ながらわたしの好みじゃないんだけど・・・
くっ

AKT:10
今度こそダメかもしれない……
こんな気持ちで本番を迎えるなんて初めてだ

奇跡でも起こらないかぎり成功する気がしない!!
はじめて聴ける
すごいって本当かねー
やっと生の千秋様に会える……
天才だってー
オレは昔のR☆Sオケ以来だ
あの時から目えつけてたんだよーオレは
千秋真一がとうとう日本に帰って来た!
世界の貴公子
揮：千秋真一
歌劇団
ツァルト「魔笛」
と思ったら、なんだよオペラって……
しかも市民オペラ……
しかも「白い薔薇」って……
↑ますみちゃん在籍
ギャグかー!?
まぁまぁ…
なにやってんだ!? 千秋真一……仕事なら他にもあるだろーに

いや～
千秋くんがオペラに興味があったとは!
オペラ関係者
（兼プロ歌劇団）
だったらうちに言ってくれればどーにかこーにか……
千秋真一!
これから絶対きますからね～♡
彼をうちに呼びこめば若い客もやってくる!?
新しい客の開拓だ!!

"Die Zauberflöte"
モーツァルト歌劇
「魔笛」

え……
だれだ!?
あの夜の女王…
吉倉…!?
わぁー
なんか……もっと安いオペラだと勝手に思っていたけど
いや「安い」のかもしれないけど

全然いいじゃないか！
音楽もいいけど……
この演出家面白い!!
桃ヶ丘小学校のみなさん♪
〝峯〟って…誰!?
知らねー

胃が痛い……
序曲も みんな
ここまでは なんとか うまくいった けど……
待ち受ける 失敗の数々が
考えまいと しても 脳裏に……
〝頼むぞ! グロッケンシュピール!!〟

のだめ!?

世界ののだめが魔法の鈴だ
受けとれ!! 千秋
♬なんて素敵な鈴の音だ
♬はじめて知るこの心地よさ

本当だな
こんな鈴の音聴いたことねー
なんとかなるだろ!!
どーせ守るものなんかここ(白い薔薇)にはないし!!
ヒドイ

次のパミーナのアリア
どうする⁉
それでも
〝もっとちゃんと私を愛しなさいよ!!〟
どうしても乗り越えたい音楽……
№ 17. Arie.
Violino II.

一瞬も目を離すな！
こいつの小さな息遣いも
瞬《まばた》きさえも
全部感じてみせる

オレは今王女様の
奴隷だ!

菅沼《すがぬま》沙也《さや》
期待されながらも厚い肉の壁があると言われていたが
素晴らしいじゃないか……!!
美しい……かもしれない
目の錯覚だろうが
それでもいい

おお……
声が泉のように湧いてくる
愛ってこんなにのどにいいんだ……
愛せるって素晴らしい!
花巻《はなまき》凌《りょう》……
って…
ああ
性格に難ありののどオタクで使えないといわれていた…
でも
歌えるじゃないか!

♬かわいい彼女か
女房ひとり
おいらが
欲しいのは
これだけさ
やさしい小鳩が
いてくれりゃ
それは最高に幸せよ

なんて
魅力ある
パパゲーノ
天才か……!?
のだめの
鈴の音が
小さな
奇跡を
起こしてる
誰も
気が付かないかも
しれないけど

まさに「魔笛」だな
太陽の輝きは夜を追い払い
偽善者のよこしまな力を打ち砕いた
オジリスよあなたに感謝します
イジスよあなたに感謝します

タミーノとパミーナは与えられた3つの試練を乗り越え
強い力が勝ったのだ!!
皆に祝福され結ばれる
その報いとして
美と叡智とが永遠の王冠となって輝く

ワァ
パチ パチ
パチ パチ
パチ パチ
パチ
パチパチパチ
パチ
キャー
千秋さまー
パチ パチ
ワー
パチ パチ
パチ
ワー
パチパチ
パチ
パチ
なんか……
大収穫だった ような
気のせいかも しれないような ……
ワァ

そうですねぇ
久しぶりに仕事外でみた～
なんか夢のようでしたよね～
まぁ…
それがオペラだ
ウィーンで育ったからそんなこと考えてもみなかったけど
この5ヵ月ですっかり日本にもなじめたし
イカプリン
牛すじサワー
こんなにいっぱい友だちできたし
わたし日本でも活動しようかな
うつぼ八
8F
カラオケ
うつぼ

友だちじゃないから!!
とっととウィーン帰りなさいよ!!
日本にあんたの居場所はないから!!
親切のつもり
菅沼さんこそウィーン行ったら?
あっちなら小さく見えるし
どーゆー意味よ!!
みんなで次もがんばりましょー
女王様ー
なにを勝手に
今日奇跡的にまとまった白い薔薇歌劇団は
再演の話し合いですぐに決裂
これで解散となった
無理だから!!
自分へのごほうび
メガ盛カレー丼
パミーナ…
菅沼はこのあと
某プロ歌劇団に所属することになり
パパゲーノかわいい♥
パパゲーノはその歌劇団でプロデビュー
あっという間に売れっ子に

峰は この舞台で お世話になった 舞台監督の 元で働き
働かせて下さい!!
舞台演出を 一から勉強 することに したらしい
龍〜
裏軒は 跡とりを 失った…
タミーノ 花巻 凌は
新しい のどの薬を 手に入れた
この舞台は またそれぞれの 人生の分岐点に あったんだな
やっぱり 来季も オペラの勉強を 続ける!
オレも……
エリーゼに 言って 仕事キャンセル してでも
ヴィエラ先生の ところへ行く!

命の……
危険があっても行く！
今日は……お客には まあよかったかもしれないけど
オレは本当に一杯一杯で……
情けないというか……
……のだめは
夢みたいでしたよ！
先輩との初共演!!
しかもチェレスタで！
バーカ
また…
「共演」っていったらピアノソロとの協奏曲くらいやってのことだろ
のだめ オケの中に入るのも夢だったんですヨ！

あの大学の頃から
Sオケから
ずっと
ずっと……
嬉《うれ》しいから
あと一年はこれをおかずにひとりでもご飯が美味しく食べられそうデス！
ホラ……

約束くらい
していくよ
感謝してる
から……
今回も
昼宙買った

のだめさんは
すごいな
本当に
先輩も
なかなか
やりましたね
また
上からかよ!!

オジリスよ
あなたに
感謝します
イジスよ
あなたに
感謝します
このルビー
ベトナムに
採《と》りに行ったんですか？
行ってねぇ!!
小さい方の石
なんだ!? それ
エビ様デス
強い力が
勝ったのだ!
その報いとして
美と叡智とが
永遠の王冠となって輝く

♪のだめカンタービレ／おわり♪
所載／2010年発行 Kiss No.9,11,13,15,17

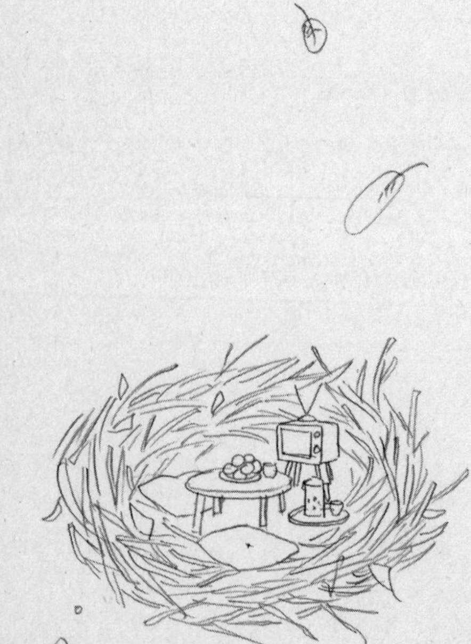

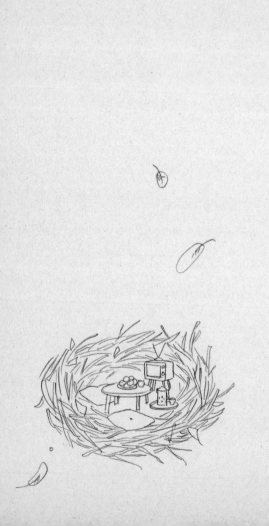

あのドレス…
わたしのなくなった
ドレスに
よく似て
いや
峰田

ターニャと黒木の純愛一直線♡
地味顔日本男児と
ド派手なロシア娘が誓い合った
永遠の愛
ああ…でも、
手放せない夢がある
渾身の
特別描き下ろし
☆番外編☆
16P
ターニャ
もっと自然なメイクアップを♪
カンタービレ
PROPOSAL：1

大変だ！
うなぎ芋
埼玉・川越
やっちゃんが大変だー!!
帰国してる！
知ってるし……
帰国したくらいで
なにが大変なんだか……
私は黒木《くろき》多恵子《たえこ》（21）大学3年生
うちのおいなりさん
やっちゃん喜ぶだろうな……

〝やっちゃん〟こと
黒木泰則《やすのり》の
いとこで……
コンニチハー
はっ
ハロー!!
ワー
金髪の
彼女……
本当だ
晴天《せいてん》の霹靂《へきれき》!!
黒船だー
やっちゃんが大変だ!!
祭だ
祭だーー!!
あ〜〜〜
あっつい〜〜〜

やだモォ 汗でベトベト〜〜〜
なにこの湿度〜
ターニャ!
ホラッ 冷たい水に ごはん!!
アイタダ
〝正座《セイザ》〟って 無理!!
キャー
ああっ
おいなりサン 爆発した!!
ターニャさん
ホホホ
その服 洗ってあげるから とりあえず このお洋服に 着がえて頂《ちょう》だい
黒木母△
祖母△

私の娘時代の服だけど
無地
きっとあなたにも似合うわよ
C'est glauque《セッグローク》…
(地味……)
あっ
服といえばハラジュク!!
トウキョウ「カワイイ」がいっぱいの!!
原宿《はらじゅく》?
おばあちゃん巣鴨《すがも》だったら案内できるよ
おばあちゃんの原宿（スガモ…）
本当!? 嬉《うれ》しい!
〈通訳〉
スガモってハラジュクよりクールなのかしら!?

キャーー
楽しみ～!!
いつ行くの？
今日!?
何言ってるのか
さっぱり
わからないけど
明るい
お嬢さんねぇ
目がチカチカ…
ロシアの方
ですって……
ねぇ
多恵ちゃん
泰則は
どういうつもり
なのかしら？
まさか
結婚
なんて……
ありえない
!!
キャアア
巣鴨地蔵通
なに
コレ!?
似合うわよー
着
ももひき
50%
ハイカラ
洋服店
ダサ!!
これは同じ
ヒョウ柄よー
地味!!
なんでこんな
土色の服
ばっかり!?

日本一の
赤パンツ
これなら派手だよ
赤…
ちがう！
ステテコ
LL
なんかちがう!!
なんなのここは！
カワイイどこよッ
なんで一族揃《そろ》って地味なのよッ
一族…
ついてきた
やっちゃんは絶対だまされてる
オペラオケ練
やっちゃんはとても才能ある音楽家だから
見学中

将来性とかそういうものに目をつけられたんだわ！
そうじゃなかったら外見も中身も地味で冗談もろくに言えないやっちゃんがどうして選ばれ（略）
ガタッ
あーあっ
やっぱ耐えらんない！
わたし先帰る
えっ
ちょっと……！
すぐ道に迷うくせにっ
ほんと生オケって脳に変な刺激送ってくるわよねぇ
負けてらんないっ
え…？

あら
今日も始まった

ちゃんと本気で音楽やってる人だってわかる
ずっとやっちゃんを見てきたから
日本にいる間パリの学校の先生とふたつの音楽祭に出る予定だから
遊んでばっかじゃいられないのよねぇ
トリオもやるし――
あなた……プロなの？

あれ？フランス語……
わたし大学でフランス文学科
あえてだまってたけど……
結構優秀よ
あー……
プロ……
そりゃずっと演奏者であり続けたいけど
パリの学校に残って教師になる勉強をしたいと思ってるんだ
パリの学校って……
やっちゃんはもうすぐドイツに行っちゃうんでしょ!?
それじゃ遠恋!?

いや……
それが！
いきなりプロポーズされて……
こっち来てすぐ
えっ…
早っ…！
ああ～
どうしたらいいんだろ～～
私は離れてても大丈夫って自信あるけどヤスは……
浮気とか心変わりとかされたら……
ああっ
地味にありうる
ドイツであの地味な魅力に取りつかれる女が私以外にだって現れないとも…
なんだ……

やっちゃんは
ちゃんと
やっちゃんらしい
彼女を選んだんだ
まじめなん…
あなたは絶対 パリに残るわよ
えっ
なにそれっ
予言!?
私 まだ結婚だってしたくないわけじゃないのに!?
アハハ…
わたしにはわかるのよ
ずっと
やっちゃんの
後ろ姿を追いかけて
きたから——

8月——
帰国前日
華裏軒
裏軒★
ええーっ
結婚やめちゃったんですか!?
愚《おろ》かな!!
だれが愚かよ!!
愚かですよー
のだめがこの指輪を手に入れるのに何年かかったと思ってるんですか!?
私は まだ21歳なの!!
のだめとは違うの!!

ムキャー
21!?
そうだっけ!?、、
なにおどろいてんのよ!?
この間まで25だったのに!?
そんなわけないでしょう
まあ……よかったな黒木くん
そんなヒョウ柄で
のだめババア
考え直す時間ができて
オレももっと考え直す時間を持つべきだったか否か…
僕は大丈夫……
1年や2年
待つ自信全然あるよ
実直《ストレート》…

ヤス……♡
へー へー
若いからって……
……
彼女がこれからも同じ音楽の道にいてくれることが嬉しいから
僕は全然大丈夫
パリにドイツかあ
卒業旅行は両方行っちゃおうかな
やっちゃんのオケも聴きたいし
千秋さんのオケもパリだっけ
みんなの演奏を聴きに
のだめさんとターニャはなにしてるかな
世界中へ行ってみたい
♪ターニャカンタービレ／おわり♪

取材協力ありがとうございました!
二期会の皆さま
桐谷暁史さん(二期会)
宮本益光さん(バリトン歌手)
石野真穂さん(コレペティトゥーア)
伊藤隆浩さん(演出家)
下野竜也さん(指揮者)
☆
大澤徹訓先生(作曲家)
☆
リアルのだめ
のだめカンタービレ
ありがとう!!
2010、11、10
二ノ宮知子

●この本を読んだご意見・ご感想をお寄せいただければうれしく思います。

なお、お送りいただいたお手紙・おハガキは、ご記入いただいた個人情報を含めて著者にお渡しすることがありますので、あらかじめご了解のうえ、お送りください。

〈あて先〉
〒112-8001　東京都文京区音羽2丁目12番21号
講談社　KC Kiss
『のだめカンタービレ㉕』係

P9-BIC-081

講談社コミックスKiss　826巻

のだめカンタービレ㉕

2010年12月13日　第1刷発行
（定価はカバーに表示してあります）

著者　二《に》ノ《の》宮《みや》知《とも》子《こ》
発行者　清水保雅
発行所　株式会社講談社
本文製版　豊国印刷株式会社
印刷所　図書印刷株式会社
製本所　株式会社フォーネット社

講談社
〒112-8001　東京都文京区音羽2丁目12番21号
編集部　03-5395-3483
販売部　03-5395-3608
業務部　03-5395-3603

落丁本・乱丁本は、購入書店名を明記のうえ、小社業務部あてにお送りください。送料小社負担にて、お取り替えいたします。
なお、この本についてのお問い合わせはKiss編集部あてにお願いいたします。
本書の無断複写（コピー）は著作権法上での例外を除き、禁じられています。

©二ノ宮知子　2010年

N.D.C. 726　175p　18cm
ISBN978-4-06-340826-3

Printed in Japan